La historia de Alexa y Takesi

Escrito por Clarita Kohen
Ilustrado por Luisa D'Augusta

¡Hola! Me llamo Guillermo, pero también me llaman Willie. Les voy a contar una historia de verdad. Esta historia es real y ocurrió hace muchos, muchos años.

Yo no había nacido todavía cuando a este barrio llegaron dos familias con sus hijos. Estas familias venían de muy, muy lejos.

La niña, Alexa, venía de Xochimilco, una ciudad de México. El niño, Takesi, venía de Kamakura, una ciudad de Japón.

Alexa y Takesi se conocieron en la escuela.
Ellos no sabían hablar inglés. Alexa hablaba
español y Takesi hablaba japonés.

Los dos empezaron kindergarten en la
escuela George Washington. Allí aprendían
inglés. También había clases bilingües, en
español y en japonés.

La maestra les enseñaba muchas palabras
en inglés: —tortitas se dice "pancakes" y agua
se dice "water", ¡pero koala se dice koala!
¡Qué extrañas les sonaban!

Un día, la maestra invitó a los padres de los niños a visitar la escuela. Quería que las familias hablaran sobre sus países.

Los padres de Alexa mostraron zarapes de colores. La mamá de Takesi llevó un kimono con un bonito adorno.

La mesa estaba servida con comida
internacional: tamales de maíz, guacamole,
sándwiches de jamón, tallarín oriental
y un kilo de kiwis.

Comer con palitos es costumbre de Japón.

En México se come con cuchillo y tenedor.

A mucha gente en México le gusta cantar "Cielito Lindo". En el Japón, la canción "Sakura" es muy popular.

Takesi tocó el xilófono en la fiesta cultural.
Alexa tocó el saxofón y todos salieron a
bailar. Alexa y Takesi eran excelentes.

Pasaron muchos, muchos años desde la
clase de kindergarten. Alexa y Takesi crecieron
y terminaron por casarse.

Todo lo que les he contado es una historia de verdad. ¡Así es como se conocieron mi mamá y mi papá!

Mis palabras

Kk

ka	**ke**	**ki**	**ko**	**ku**
Kamakura	Takesi	kilo	koala	Kamakura
		kimono		Sakura
		kiwi		

Ww

wa	**wi**
Washington	kiwi
	sándwiches
	Willie

Xx

xa	**xi**	**xo**	**_x**
Alexa	México	saxofón	extraño
	xilófono	Xochimilco	excelente

ISBN 0-590-97559-5   Copyright © 1998 by Scholastic Inc.   All rights reserved.   Printed in the U.S.A.
9 10 11 12 13 14 15   23   10 11 12